CW00591883

COMPRENDRE LA LITTÉRATURE

MICHEL HOUELLEBECQ

La Possibilité d'une île

Étude de l'œuvre

ISBN 978-2-7593-0001-3 ©

Dépôt légal : Novembre 2018

SOMMAIRE

BIOGRAPHIE

MICHEL HOUELLEBECQ

De son vrai nom Michel Thomas, Michel Houellebecq est né le 26 février 1956 à Saint-Pierre, à La Réunion. Son père, René Thomas, était guide de haute montagne et sa mère, Lucie Ceccaldi, algérienne, était anesthésiste et docteur en médecine. Ils étaient tous deux des militants communistes. Lucie Ceccaldi aurait falsifié son acte de naissance pour le vieillir de deux ans, le jugeant surdoué. Il serait donc né en 1958. Ses parents ne s'entendaient pas et ne s'intéressaient guère à lui. C'est pourquoi, quand ils se séparent, il est confié à ses grands-parents maternels en Algérie. Puis, lorsque le divorce est prononcé, son père le récupère et le confie à sa propre mère, née Houellebecq, elle aussi communiste. C'est pour la remercier que Michel utilise son nom de famille comme nom d'auteur.

Michel Houellebecq suit les classes préparatoires aux grandes écoles, puis intègre l'Institut national agronomique Paris-Grignon. C'est là qu'il crée sa première revue, *Karamazov*, certainement en l'honneur de Dostoïevski et qu'il s'essaie pour la première fois au cinéma en tant que réalisateur pour *Cristal de souffrance*. En 1978, il obtient son diplôme d'ingénieur agronome. Il décide alors d'entrer à l'ENS, mais ne terminera jamais son diplôme. Il devient père du petit Étienne en 1981, alors qu'il est au chômage et en pleine dépression.

Il réussit enfin à entrer chez Unilog et travaille dans l'informatique, puis au ministère de l'Agriculture, en 1983. C'est à cette période qu'il écrit *Extension du domaine de la lutte*. En 1990, il obtient le concours externe d'adjoint administratif au service informatique. En 1991, il publie *La Poursuite du bonheur*, un recueil de poème qui obtient le prix Tristan-Tzara, ainsi que *H. P. Lovecraft. Contre le monde, contre la vie*. En 1996, il demande une disponibilité pour se consacrer essentiellement à l'écriture.

En 1998, il publie *Les Particules élémentaires*. C'est son premier ouvrage qui fait polémique dans les médias : il est notamment accusé de misogynie. Au début des années 2000, il décide de quitter la France et de s'installer d'abord en Irlande, puis en Espagne. En 2001, il publie *Plateforme*, ayant pour thème le tourisme sexuel et les attentats, ce qui coïncide avec les attentats du 11 Septembre. Ce nouvel ouvrage fait une fois de plus polémique dans les médias. En 2005, il sort *La Possibilité d'une île*. Cette même année, il publie également *Ennemis publics*, un recueil de correspondance, puis en 2010, *La Carte et le territoire*. Avec ce roman, il obtient pour la première fois le prix Goncourt. En 2012, il rentre à Paris et publie *Configuration du dernier rivage* en 2013. Il écrit également les paroles de *Présence humaine*, un album musical dans lequel il lit ses propres poèmes sur un fond de musique rock, dont il fait une courte tournée. En 2014, il joue dans les films *L'Enlèvement de Michel Houellebecq* et *Near Death Experience*. En 2015, il publie *Soumission*, après les attentats de Paris, ayant pour thème une France islamisée. Comme l'on peut s'en douter, ce dernier roman fait également polémique.

Il a également écrit plusieurs articles reprenant ses thèmes favoris, regroupés notamment dans le recueil *Intervention*, dans *Rester vivant et autres textes* et *Lanzarote et autres textes*.

PRÉSENTATION DE LA POSSIBILITÉ D'UNE ÎLE

La Possibilité d'une île, publiée en 2005 chez Fayard, a éclipsé les autres romans dans les médias lors de la rentrée littéraire. Il a obtenu le prix Interallié. Cependant, il ne rencontre pas le succès escompté. En effet, sur un tirage de plus de 400 000 exemplaires, seulement 300 000 se sont vendu. Mais cela n'empêche pas Michel Houellebecq de tenter l'adaptation cinématographique de son roman en 2008, dont il est lui-même le réalisateur. Malheureusement, le film est un échec, commercial et médiatique.

Dans *La Possibilité d'une île*, les thèmes principaux sont le libéralisme qui amène à l'individualisme de la société, la religion, la pauvreté affective et sexuelle de l'homme, et le clonage. Ce sont les thèmes chers à Houellebecq, que l'on retrouve dans un grand nombre de ses ouvrages. Dans ce roman, on entre dans une dystopie du monde et de la société humaine qui s'ouvre sur la destruction de l'humanité par des cataclysmes naturels, montée des eaux et grande sécheresse notamment, réduisant les hommes à l'état de sauvage, sauf pour les hommes faisant partie de la secte religieuse des Éloïm, qui ont choisi la modification génétique et le clonage pour survivre et créer ainsi une nouvelle humanité, dénuée de toute « humanité ».

RÉSUMÉ DE L'OEUVRE

I.

Le roman débute sur la mise en parallèle de la position du chien domestique avec celle de la femme à une certaine époque de l'humanité.

II.

Daniel24 rencontre Marie22 sur le réseau et notamment son sexe. Elle lui montre deux séquences, d'abord des serres formées sous d'immenses bâches et lui-même, Daniel24 qui est le narrateur du roman, dans une usine sidérurgique, en train de manger un yaourt.

III.

C'est une mise en garde au lecteur avec la présentation du narrateur par un « moi » et le but de ce livre, qui est l'édification des Futurs, c'est-à-dire des hommes du futur.

Première partie : Commentaire de Daniel 24

Daniel1,1 :

Daniel1, alors adolescent, prend son petit-déjeuner dans un club de vacances et il relate l'épisode de la saucisse et de la vieille femme égoïste. Cet épisode lui donne l'idée d'un sketch qui va lui apporter beaucoup de succès et lui donner l'occasion de perdre sa virginité. Il prend alors la décision de devenir acteur, mais cette voie est très dure alors il devient peu à peu « méchant et caustique ». Puis, le succès arrive grâce à ses sketch comiques sur la réalité contemporaine. Ce succès lui vaut également du succès auprès de la gente féminine, notamment les quarantenaires.

Daniel24,1 :

Daniel24 déteste les hommes, ce sont des sauvages. Il précise que c'est un récit de vie, une autobiographie que Daniel1 tente d'écrire, pour son successeur.

Daniel1,2 :

Il précise que la mémoire est une chose fragile et que l'homme oublie facilement. Lui-même a totalement oublié son ex-femme et son fils, qui s'est par la suite suicidé. Ça ne lui a pas fait grand-chose. Puis, il commence à gagner de l'argent et il se rend compte qu'il n'est pas balzacien. Il devient célèbre et riche et goûte à la consommation propre à notre siècle moderne. Il rencontre Isabelle lors d'une interview et c'est le coup de foudre. Ils passent leur première nuit ensemble et ont leur première discussion sur les hommes, sur sa renommée et sur le journal que dirige Isabelle, le tout sur un fond de sexualité.

Daniel24,2 :

Il décrit l'évolution du monde et de l'homme vers la robotisation, notamment sexuelle. Mais l'homme semble abandonner.

Daniel1,3 :

Il fait un spectacle qui créé la polémique : il est anti-arabe, antisémite sur fond comico-burlesque et un court-métrage pornographique au milieu. Mais pour calmer le jeu, il 'achète une voiture de luxe, pour que la « racaille » soit de on côté. Son court-métrage passe à « L'Étrange festival » t il a beaucoup de succès. Il accepte alors la proposition de evenir scénariste et écrit « Diogène le cynique ». Il achète lors une maison secondaire en Andalousie où il n'y a pas de ouristes, puis il épouse Isabelle qui vient d'avoir 40 ans et ui commence à vieillir.

Daniel24,3 :

Il décrit le monde dans lequel il se trouve : la Méditerranée 'est plus que de la boue et les hommes des sauvages malades ui se meurent. Il commence à comprendre enfin les femmes.

Daniel1,4 :

L'âge d'Isabelle lui pèse dans son travail car le magazine e promeut que la jeunesse et l'adolescence de la femme. Isa-elle décide de quitter son poste. Daniel1 continue ses spec-acles provocateurs et pour les jeunes racailles. Il est toujours ntimusulman, anti-juif et anti-chrétien sur fond comique. Aais c'est le début du « dégoût pour le public » et pour x l'humanité en général ». Il ne supporte plus le rire, qu'il net en parallèle avec la cruauté.

Daniel24,4 :

Il reprend et visualise le témoignage de Daniel1 qui est ncompréhensible pour les autres Daniel qui ont suivi, car il it alors que chez les « néo-humains » le rire a totalement dis-aru durant l'évolution. L'évolution pour les larmes a été plus ente et les larmes sont mises en parallèle avec la compas-ion. Mais la solitude des néo-humains ne laisse place ni à la cruauté ni à la compassion, donc il n'y a plus ni rire ni larmes

Daniel1,5 :

Isabelle quitte le magazine et ils partent s'installer dans leur maison en Andalousie. Ils s'isolent volontairement. Daniel1 n'a plus d'amis depuis qu'il est riche car il a compris qu'ils n'étaient attirés que par son argent. Isabelle non plus n'a pas d'amis car dans son métier la concurrence est rude. Ils sont donc seuls et la seule chose qu'ils ont à faire c'est de vivre. Qui dit vivre dit procréation. Mais lui a les bébés et les enfants en horreur. Il tente d'écrire un scénario contre la procréation et les enfants mais le projet échoue. Cependant, une nouvelle génération apparaît qui ne veut pas avoir d'enfants

Daniel24,5 :

L'espèce humaine est en train de disparaître. Il tue des sauvages qui se trouvent au-delà de la « barrière de protection ». C'est la fin de l'humanité. Lui est le « Gardien de la Porte »

Daniel1,6 :

Il est difficile de supporter la solitude à deux ainsi que la vie de couple. Il s'aperçoit qu'Isabelle n'aime pas la jouissance, ni l'extase, c'est un choc pour lui. Puis, c'est la fin de leur sexualité à cause du vieillissement du corps d'Isabelle qui ne se supporte plus. Les enfants sont remplacés par des animaux domestiques qui sont souvent ensuite abandonnés. Isabelle recueille un chien sur la route : Fox.

Daniel24,6 :

Il raconte l'histoire du clonage. Daniel24 a aussi un chien, qui est le clone de Fox, le chien adopté par Isabelle, le chien de son ancêtre Daniel1. Le bonheur est possible chez les chiens mais pas chez les néo-humains. Il attend « l'avènement des Futurs ».

Daniel1,7 :

Le chien Fox rend la socialisation plus facile. Il fait la rencontre de Harry, un allemand, chez qui ils sont invités. Il découvre chez lui un livre de Teilhard de Chardin, auteur « déprimant ». La vieillesse demande de la sécurité et de l'optimisme. Isabelle a peur qu'il la quitte pour une femme plus jeune, mais il ne l'a jamais trompée. Bien sûr, le corps des lycéennes est tentant, mais risqué ! Et sortir avec une jeune qui a honte d'être avec un quinquagénaire, il n'y survivrait pas. Il paiera plutôt des prostitués. La nouvelle mode est à l'amitié après l'amour, ce qui lui donne un nouveau sujet de scénario provoquant qui connaît un succès, mais plus petit que les précédents car il est très critiqué.

Daniel24,7 :

Il y a beaucoup de récit de vie qui ont été conservés et tous convergent vers un même point : « le caractère insoutenable des souffrances morales occasionnées par la vieillesse ». C'est de pire en pire, plus l'homme évolue vers sa disparition, apportant de plus en plus de suicide. La mortalité chutant autour de 50-60 ans.

Daniel1,8 :

Son dernier film a du succès. Mais Isabelle, durant le tournage et son absence, a pris 20 kg. Il n'y a plus du tout d'érotisme dans leur couple. Qui dit érotisme, dit tendresse. Donc il n'y a plus de tendresse non plus. Une séparation en douceur se fait, ils ne partagent plus la même chambre. Ils sont de nouveau invités chez Harry et ils font la connaissance de Truman, un belge philosophe qui est pour la libération sexuelle et l'euthanasie. Isabelle le quitte définitivement et prend Fox avec elle. Mais ils restent civilisés et courtois.

Daniel24,8 :

La suite du récit de vie de Daniel1 est un peu abrégée car il n'est pas utile scientifiquement. En effet, il a eu des problèmes de virilité et de sexualité. Mais, à la différence de la femme qui se suicide car elle ne supporte pas de vieillir, l'homme se suicide lorsqu'il n'a plus d'érection.

Daniel1,9 :

Après le départ d'Isabelle, il va voir les prostituées en Espagne, surtout issues de l'ex-URSS. Il découvre aussi le « monde des hommes », le monde des autoroutes, des camionneurs, du porno et des belles voitures. La tristesse et la dépression des hommes aussi. Lors d'un nouveau repas chez Harry, il rencontre le fils de Truman, Patrick et sa femme. Ils sont élohimites. Ils pensent que les hommes descendent de créatures extraterrestres plus avancées et qui maîtrisaient la création de la vie et qui avaient « vaincu » le vieillissement et la mort. Ils attendent leur venu et leur construisent une ambassade dans les Canaries.

Daniel24,9 :

La disparition de l'homme s'est faite en trois temps : d'abord la fonte des glaces, ensuite le « Grand Assèchement ». Il reste à venir le troisième temps, celui qui sera définitif. Tout cela pour que l'avènement des Futurs se produise. C'est ce qu'enseigne la Sœur Suprême, leur guide spirituelle.

Daniel1,10 :

Il passe un séjour chez les élohimites, qu'il nomme les Très Saints, en Herzégovine, en été dans une sorte de station de ski. C'est une secte religieuse. Les élohimites ne veulent pas vieillir et ne veulent pas avoir d'enfants. Ils ne se droguent pas, ne fument pas et boivent très peu d'alcool. Le prophète de la secte en personne l'accueille. Il doit assister à des conférences et à des enseignements donnés par le Savant, un professeur de neurologie. Il doit être vêtu d'une tunique blanche pour les suivre. Le Savant déclare que pour ne pas souffrir il ne faut pas ressasser le passé mais l'effacer complètement. Flic est le bras droit du prophète. Il assiste à une conférence sur la sexualité et comprend qu'il n'y a aucune limite du moment qu'il s'agit d'adulte consentant ou d'adolescents ayant atteint la puberté (à partir de 11 ans) consentants. La pédophilie n'est pas autorisée. Le prophète leur parle ensuite des élus, ceux qui souhaitent faire partie des élohimites et qui agissent en conséquence. Il rencontre Humoriste, le quatrième bras droit du prophète. Ils abordent enfin la question de l'immortalité grâce à l'ADN. Un peu d'ADN est prélevé sur chaque adepte et stocké en vue du clonage. Mais il reste le problème de la personnalité et de la mémoire. Savant travaille sur un automate qui servirait de transmetteur d'un corps à l'autre. Daniel rentre enfin chez lui et ne compte pas adhérer à la secte au départ. Il trouve curieux que pour une sexualité débridée il n'y ait eu quasiment aucun rapport entre les adeptes. Il décide de brûler les photos pour se débarrasser du passé, comme Savant l'a conseillé. Il décide d'aller chercher Fox pour le garder quelque temps. Il revoit Isabelle qui a maigri et qui se shoote désormais à la morphine.

Daniel24,10 :

Le passage des humains aux néo-humains s'est fait entre autres par la disparition de tout contact physique. Les néo-humains se connectent parfois pour échanger virtuellement. Même ils ne sont pas délivrés du statut d'individus, ils restent seuls. Il n'y a pas de groupe. Les néo-humains, quand ils approchent de la mort, rentrent dans un stade intermédiaire. Marie22 est sur le point de mourir et de laisser sa place à Marie23.

Daniel1,11 :

Il se remet au travail pour échapper à la tristesse et sort un tube de rap qui ne se vend pas beaucoup. Il se retrouve avec Vincent à Paris, un artiste qu'il a rencontré chez les élohimites durant son séjour chez eux. Ils parlent d'art contemporain et Vincent lui propose de lui montrer son œuvre. Vincent lui dit qu'avec l'âge, la vie n'est plus qu'administrative. C'est un artiste décorateur qui ne peut « assumer la brutalité du monde ». En tant qu'humoriste et cinéaste, Daniel fait accepter cette brutalité. Il se remet au travail sur un scénario pornographique.

Daniel24,1 :

Les néo-humains sont aussi touché par la vieillesse mais un moindre degré que les humains. Elle n'est pas tragique t ne s'accompagne pas de souffrance. Il reste cependant une ouche d'humanité chez les néo-humains. L'intelligence do-nine désormais le monde : les néo-humains sont supérieurs ux humains, qui sont des sauvages qui ne ressentent que ouffrance et douleur. Même si les néo-humains sont fait pour ivre seuls, Daniel24 est heureux d'avoir Fox, sans lequel ce erait difficile de passer le temps. Plus il vieillit, plus il a be-oin de son chien. Les néo-humains ne ressentent aucune joie. l est lui aussi sur le point de mourir et de laisser sa place à Janiel25.

Deuxième partie : Commentaire de Daniel25

Daniel 1,12 :

Il rencontre Belle, de son vrai nom Esther, espagnole. Il encontre alors le bonheur. C'est lors d'un casting pour son rochain film qu'il la rencontre. Ils passent la nuit ensemble ès le premier jour. Elle est jeune, belle et très érotique.

Daniel25,1 :

Le nouveau Daniel arrive. Il découvre les notes manus-rites de Daniel24 et il y lit l'amertume, la lassitude et la lépression, ainsi que de l'humour, ce qui est étonnant chez n néo-humain. Les néo-humains sont de parfaits clones sur e plan génétique. Et ils doivent méditer sur le récit de vie de eur ancêtre pour être un parfait clone mental de ce dernier. Ils loivent également en écrire un commentaire.

Daniel1,13 :

Il écrit son premier poème après sa première nuit ave
Esther, alors que la poésie a disparu du monde moderne. I
rentre dans sa maison secondaire en Espagne. Il est déçu d
ne pas avoir de message d'Esther. Il finit par l'appeler et l'in
vite à venir passer un week-end avec lui.

Daniel 25,2 :

Fox meurt deux semaines après son arrivée. Un nouvea
Fox arrive peu après. L'amour passe seulement par les chiens
qui sont depuis toujours des « machines à aimer ».

Daniel1,14 :

Esther arrive chez lui et ils font l'amour immédiatemen
Ils vont sur une plage naturiste et retrouvent Patrick et s
femme. Ils dînent ensemble et Patrick les invite à un nouvea
stage d'hiver chez les élohimites.

Daniel 25,3 :

Il entre en contact avec Marie23. Elle lui annonce qu'ell
vit dans les ruines de New York où elle voit des coulées d
boue charriant des ossements humains.

Daniel1,15 :

Face à la jeunesse, il se sent vieux. De retour à Paris, i
va voir Vincent qui reste enfermé la plupart du temps ave
son œuvre d'art. Puis il rentre en Espagne et retrouve Esthe
et sa sexualité débridée. Il pense qu'elle l'apprécie pour so

humour et demande qu'elle lui présente sa sœur. Le problème de l'âge commence à se poser mais ils arrivent à passer outre après leur première dispute et leur première conversation sérieuse. Esther est égoïste et ne pense qu'à elle. C'est un « animal de luxe sexuel », mais elle a aussi été touchée de près par la maladie alors elle connaît aussi la faiblesse.

Daniel 25,4 :

Il fait un rêve étrange. Les rêves proviennent d'ondes de l'Univers. Mais ce ne sont pas les mêmes rêves que les humains.

Daniel1,16 :

Il est à la retraite et accepte de se rendre au stage d'hiver des élohimites pendant qu'Esther passe ses examens. Le site est entouré de gardes. Il est accueilli par le prophète qui marque sa dominance. Il retrouve également Vincent. Il assiste à de nouvelles conférences sur l'ADN et la génétique pour trouver l'immortalité. Savant lui montre le labo où il compte fabriquer les premiers clones adultes de l'humanité.

Daniel25,5 :

Il a fallu trois siècles pour arriver au but recherché par le prophète et par Savant. Arriver à cloner un corps humain adulte dans un corps déjà adulte. Mais le problème du cerveau se pose toujours.

Daniel1,17 :

Après les conférences, arrive la journée de la méditation,

d'abord sur la terre, sur leur corps puis sur leur ADN. Les plans de l'ambassade pour accueillir les Élohim sont dévoilés. Le but ultime de la secte est l'immortalité. Il décide d'emmener Vincent qui est déprimé à cause de son amour pour l'une des maîtresses du prophète à l'extérieur du site et ils se retrouvent sur une plage. Mais un concours de Miss Bikinis finit par les envahir et ils fuient rapidement. Quand ils rentrent, ils sont conviés à un repas avec le prophète en présence d'autres artistes. Au cours de ce repas, le prophète jette son dévolu sur une ravissante jeune italienne, en couple avec un jeune italien. Il l'emmène passer la nuit avec lui. Mais un coup de théâtre se produit, le jeune italien, rendu fou par la jalousie, assassine le prophète durant la nuit. Vincent annonce alors qu'il est le fils du prophète et qu'il peut prendre sa place pour éviter que leur secte soit détruite. Savant et Flic assassine la jeune italienne pour ne pas laisser de témoin. Ils décident de faire passer Vincent pour la réincarnation du prophète dans son corps cloné plus jeune.

Daniel 25,6 :

Les différents récits de vie de Savant, de Flic, d'Humoriste, de Vincent et de Daniel1 concordent sur cet avènement des néo-humains. Les Élohim ont en fait été un prétexte pour arriver à la création de la vie humaine par le clonage et à l'immortalité. C'est l'annonce de la disparition des hommes.

Daniel1,18 :

Une fois prophète, Vincent redessine les plans de l'ambassade, en laissant libre court à la beauté et au bonheur dans son art où le rire et l'humour n'ont plus aucune place. Daniel1 rentre chez lui après avoir eu l'autorisation d'écrire ce qui s'était réellement passé, mais de ne pas le publier avant sa mort. Il adhère à la secte et laisse à son tour son ADN.

Daniel25,7 :

C'est à la suite de cette demande de Daniel1 d'écrire sur la secte que Vincent a l'idée des récits de vie.

Daniel1,19 :

À son retour dans la réalité, Daniel1 retrouve également la souffrance : souffrance causée par Esther, par son égoïsme, par son indifférence ; souffrance que lui cause son désir pour elle. C'est l'enfer sur terre pour lui. Mais ils se revoient quand même avec Esther et il se rend compte que son amour pour elle n'est pas réciproque. Il est vieux et elle est jeune. C'est cruel. Mais lui-même s'est retrouvé dans la même situation mais en étant à la place du jeune et lui-même a été cruelle envers la femme « vieille ». Il décide de partir pour Paris et va retrouver Vincent qui est retourné chez lui en compagnie de l'ancienne maîtresse du prophète dont il était amoureux. Il a enfin trouvé le bonheur. Vincent lui reparle de l'ambassade et de l'évolution de sa pensée. Il veut que l'homme devienne immortel, mais surtout qu'il ne reste chez l'homme que l'essentiel : son esprit et son intelligence, via l'ADN.

Daniel25,8 :

Les humains accordaient une trop grande importance à la sexualité. Comme les animaux, ils étaient dirigés par leur instinct.

Daniel1,20 :

Daniel1 rentre chez lui en Espagne et retrouve Esther. Ma la jalousie le ronge. Esther prépare une grande fête pour s anniversaire et elle lui annonce dans la foulée qu'elle pa étudier à New York et qu'elle le quitte. Il se rend alors comp qu'Esther aime le sexe mais qu'elle n'aime pas l'amo L'amour lui est complètement indifférent. Sa génération s' totalement libéré de ce sentiment et ne le retrouvera plus.

Daniel25,9 :

Il regarde une image envoyée par Marie23 qu'il ne co prend pas. Elle est obsédée par les sauvages, les humains pense qu'ils ont retrouvé une forme de société.

Daniel1,21 :

Il décide de partir pour Biarritz et se met à écrire ce qu a vu durant le stage d'hiver chez les élohimites. Il en repa à Vincent qui lui annonce son projet de récit de vie écrit p chacun des adeptes à la secte. Daniel1 se tourne alors ve une forme plus autobiographique de son récit de vie. Il rev Isabelle et retourne quelques jours vivre chez elle. Il lui r conte son histoire avec Esther mais aussi avec les élohimit Elle accepte alors d'intégrer la secte et de lui laisser son AD et celui de Fox.

Daniel25,10 :

L'Église élohimite a de plus en plus de succès à cette p riode et se répand d'abord dans le monde occidental, puis v le Bouddhisme vers l'Asie et le Japon. Mais l'Islam a résis t s'est également répandu en Occident, notamment pour onserver les valeurs machistes que les élohimites veulent aire disparaître. Lorsque les adeptes donnent leur ADN, s signent également un papier stipulant qu'à leur mort, ils aissent leurs biens à l'Églises élohimite, biens qui seront nsuite rendu à leur clone, leur Futur eux lors de leur résur-ection. Comme il n'y a plus de filiation, il n'y a plus d'héri-age. Ensuite, dans l'attente de la résurrection, ils incitent les deptes à se suicider lorsqu'ils commencent à se sentir vieux t que leur corps ne leur apporte plus aucune joie. Et cela, nême si Savant n'a pas encore mis au point la technique de lonage…

Daniel1,22 :

Daniel1 quitte Isabelle et part s'installer dans son hôtel ha-ituel à Paris. Mais il déprime, angoisse et boit trop. Il appelle Vincent quelques mois plus tard et lui rend visite dans sa nou-elle demeure et dans le nouveau QG des élohimites. Vincent 'est transformé en « chef d'entreprise ». Flic annonce à Vincent qu'il y a des dérives malsaines à certains endroits u globe quant à la cérémonie de suicide : des dérives qui endent vers la barbarie. Vincent est choqué et il décide d'en-ayer le phénomène par la sexualité. Il dessine des images ornographiques représentant des hommes et des femmes 'accouplant dans diverses positions. Mais les corps ne sont lotés que d'un sexe et non plus d'anus. Le problème de l'ali-nentation de l'homme et de ses excréments se pose alors. Savant, pour y répondre, leur annonce que c'est l'homme du Futur : un système photosynthétique, comme pour les vé-gétaux, remplacera l'appareil digestif qui va disparaître du corps humain. C'est la « Rectification Génétique Standard ».

Daniel25,11 :

C'est ce qui va permettre aux néo-humains de survivre au
différents bouleversements climatiques. Une fois de plus
les récits de vie des Fondateurs concordent avec celui d
Daniel1, qui est le plus canonique et qui confère une grand
importance à la lignée des Daniel et leurs commentaires.

Daniel1,23 :

Isabelle se suicide. Il va se reposer quelques minutes sur se
cendres, puis il récupère Fox. Isabelle a tout légué à l'Églis
élohimite. Il rentre en Espagne avec le chien, mais il déprime
Autour de chez lui, tout est en travaux, le tourisme de mass
est arrivé jusqu'ici. Il décide de mettre en vente sa maison.

Daniel25,12 :

Marie23 lui annonce sa décision de déserter et de rejoindr
les sauvages dans le monde extérieur. Elle a rencontré physi
quement Esther31, la descendante de l'Esther de Daniel1. S
vie est trop morne et elle n'en peut plus.

Daniel1,24 :

Il se remet à l'écriture de son récit de vie, de son auto
biographie, sous la pression de Vincent. Lors d'une prome
nade, Fox se fait écraser par un engin de chantier. Daniel
l'enterre dans le jardin, puis en larmes, il appelle Vincent qu
lui annonce qu'ils ont l'ADN de Fox et qu'ils vont réussir :
la cloner. Daniel1 comprend alors la « Promesse » et se me
à espérer.

Daniel25,13 :

Le départ de Marie23 l'affecte. Il lit Spinoza pour se distraire, en espérant que cette lecture va le sortir de sa dépression.

Daniel1,25 :

Il comprend que le plaisir sexuel est l'unique plaisir des hommes, dans la chaleur de l'été qui arrive, et la jeunesse est l'unique « temps du bonheur ». Lui est rebellé et a quitté sa femme enceinte et a renié son fils. Comme tout le monde, il ne veut pas vieillir, ni mourir. Il décide de rentrer à Paris et d'écrire un nouveau spectacle. Mais avant d'avoir commencé à écrire, il part chez Vincent pour lui parler du « sacrifice » qui s'attache à la procréation. Mais tous les Fondateurs sont déjà au courant de ce fait. Daniel est un homme honnête, c'est pour cela que son récit de vie est si important pour Vincent, car il sera perçu comme la « vérité ». Vincent apparaît alors comme le véritable chef des élohimites, le véritable prophète. Daniel1 décide de rester avec Vincent les deux prochains mois, jusqu'à ce que l'ambassade soit achevée.

Daniel25,14 :

Il rentre en contact avec Esther31. Ils discutent de Marie23 et de son départ. Elle se dirige vers le lieu où se trouvait l'ambassade fondée par le prophète. Elle est persuadée que les sauvages ont formé là-bas une communauté. Mais Esther31 soutient que c'est plutôt une communauté de néo-humains déserteurs qui si trouve.

Daniel1,26 :

Il découvre le fonctionnement de l'énorme entreprise qu'est devenue la secte et l'ampleur qu'elle prend au fil des années qui passent. Vincent s'est retiré peu à peu de la scène médiatique pour se consacrer à son œuvre, l'ambassade, qu'il fait enfin découvrir à Daniel1 : elle est entièrement blanche et représente l'amour.

Daniel25,15 :

Des doutes sur l'avènement des Futurs envahissent les néo-humains près d'un millénaire après Daniel1 et les défections commencent. Les derniers humains aimaient l'innovation alors que les néo-humains s'en méfient.

Daniel1,27 :

Il rentre en Espagne de nouveau. Il poursuit son récit de vie. Il hait toujours autant, voire plus, les hommes et l'humanité. Il se convertit à l'élohimisme et dans le même temps va essayer de convertir les autres hommes par son récit de vie. C'est là le but recherché par Vincent. C'est l'avènement de la solitude qui s'apprête à commencer, de même que c'est la fin de la sexualité et de l'amour.

Daniel25,16 :

La Sœur Suprême a été « engendrée » au commencement, suivie des Fondateurs. C'est elle qui divulgue l'enseignement des néo-humains. Les néo-humains ne connaissent pas le désir, mais Marie22 et Marie23 en avaient quand même la nostalgie. Avec Esther31, il n'y a aucun désir, seulement de la froideur entre eux. L'enseignement de la Sœur Suprême tend vers la connaissance pure et c'est tout, comme but de la vie des néo-humains.

Daniel1,28 :

C'est la fin de l'été et des vacances. Il a terminé son récit de vie. Il n'a plus rien qui l'attend, sinon la mort. La peur commence à l'envahir.

Daniel25,17 :

Le récit de vie de Daniel1 s'achève ici. Mais Daniel25 est déçu par la fin. Il demande à Esther31 si elle en sait plus sur la fin de la vie de Daniel1, dans le récit de vie d'Esther1. Avant de mourir, Daniel a rappelé Esther à plusieurs reprises, mais ne l'a jamais revue. Elle ne veut plus le voir et finit par ne plus répondre à aucun de ses messages ou email. Il continue pourtant à la harceler et il s'humilie de plus en plus. Il rode près de chez elle et elle commence à avoir peur. Mais un beau jour, il disparaît. Il s'est suicidé après avoir vu un film dans lequel elle joue. Avant de se suicider, il lui a écrit une lettre où il nie leur rupture et où il annonce qu'il est heureux avec elle et amoureux d'elle. C'est cette lettre qui a bouleversé Marie23 et qui l'a poussée à aller à l'extérieur chercher l'amour. Car elle y a vu la possibilité de l'amour. La possibilité d'une île.

Troisième partie : Commentaire final, épilogue

I.

Daniel25 décide à son tour de partir avec Fox et de déserter. Il veut également suivre les traces de Marie23 et de retrouver les lieux de l'ambassade. Il s'avance vers l'inconnu et ne croise personne. Le fait que l'enseignement de la Sœur Suprême se concentre seulement sur l'esprit et l'intelligence a engendré une génération d'êtres tristes, mélancoliques, apathiques et languissants. Il se met à envier la vie de Daniel1. Peu à peu, il découvre le « monde naturel » et ce que devait être la vie des hommes. Il découvre des signes de la présence des sauvages durant sa deuxième semaines à l'extérieur. La disparition des humains s'est faite d'abord par la Première Diminution avec la fonte des glaces qui a englouti l'Asie. La disparition étant imminente et pressentie, le monde sombre dans la violence et la sauvagerie. Les néo-humains étaient protégés par des systèmes de sécurité très développé, attendant et favorisant l'extinction des hommes. Son corps s'adapte à sa nouvelle vie à l'extérieur. Il trouve peu à peu le bonheur et s'approche de l'amour avec la présence de Fox à ses côtés. Il doit prendre des décisions et des initiatives, ce qui n'arrive plus dans la vie des néo-humains. Il arrive dans un village et aperçoit un sauvage, puis plusieurs, qui fuient à son approche. Il décide de s'installer dans la grande salle du château et d'y rester pour l'hiver. Il y découvre d'anciens objets qui ont survécus, tel un appareil photo, et se dit qu'il y avait quand même du bon chez les humains. Les sauvages entrent en contact avec lui et lui offrent une valise pleine de nourriture en offrande, déposée devant la porte. Puis, ils lui offrent une jeune femme pour s'accoupler. Mais son odeur est insoutenable et le dégoute et il refuse dorénavant les présents

es sauvages. Il reprend la route et tente de gagner l'ambas-
ade de nouveau. Alors qu'il se repose près d'un lac, Fox dis-
araît. Il le trouve mort, le corps transpercé par une flèche de
auvage.

II.

Il est désormais seul. Et depuis il connaît l'amour puisqu'il
onnaît la souffrance de perdre un être cher. Il arrive aux envi-
ons de l'ancienne ville de Madrid. Il y a d'autres sauvages et
en tue quelques-uns. Il marche dans les traces de Daniel1 et
'Esther1. Mais il commence à manquer d'eau. Il commence
souffrir physiquement ; une nouveauté pour lui. Il trouve un
nessage de Marie23, qu'elle a laissé comme un signe de son
assage sur la terre. Elle a côtoyé les sauvages et a, elle aussi,
u leur brutalité et leur cruauté. Il arrive enfer à la mer et peut
e nouveau boire et se « nourrir » de minéraux. Il décide de
ester vivre là et se rend compte que le monde va lui survivre.

LES RAISONS
DU SUCCÈS

Michel Houellebecq est en général un auteur très critiqué par les médias et ses romans font généralement polémiques, notamment dans le milieu universitaire. Il est souvent considéré comme fasciste, misogyne, xénophobe, raciste (islamophobe et antisémite notamment) et dépressif. La possibilité d'une île paraît quelques années après les attentats du 11 septembre 2001 aux États-Unis par des islamistes radicaux et dans une période de libéralisme et de consommation de masse.

Le lectorat de Houellebecq est nettement divisé en deux parties : certains le trouvent nullissime du fait de ses propos choquant et provoquant, lui reprochant d'appartenir à l'extrême droite. Tandis que d'autres le considèrent comme l'un des plus grands écrivains de son époque, relatant les réalités historiques, bien que tristes et dérangeantes.

Le fait que *La Possibilité d'une île* soit une sorte de description poussée à l'extrême de la société moderne telle que nous la connaissons tendant vers la dystopie de la transformation génétique et du clonage et de la fin de l'humanité, explique en partie pourquoi le roman a eu du succès, même s'il a été moindre de 100 000 exemplaires vendus de ce qui avait été prévu.

Le style de Houellebecq est un style plat et neutre. Il utilise généralement des phrases courtes à la structure simple, utilisant de manière voulue les clichés et les lieux communs pour se rapprocher du langage quotidien et de la réalité de la société moderne. Il utilise plusieurs registres de langues, parfois littéraire, le plus souvent courant et parfois il tombe dans la vulgarité pour rendre plus crue les images de la société qu'il veut donner, notamment sur la sexualité, la désespérance affective et la souffrance de la vieillesse.

La personnalité de Houellebecq lui vaut aussi un certain succès. En effet, le fait qu'il s'exprime sans tabou dans ses écrits comme dans ses interviews choque, mais inspire aussi de nombreuses personnes. En effet, lors de la publication de son premier recueil de poésie, Juliette Darle, une poétesse française, raconte qu'elle a « perçu une personnalité singulière » et qu'elle l'a « assimilé immédiatement [...] aux grands auteurs du vingtième siècle ».

LES THÈMES
PRINCIPAUX

Dans *La Possibilité d'une île*, on retrouve comme l'un des thèmes principaux celui du libéralisme de notre époque moderne, avec l'importance du travail et de l'économie qui transforme les rapports humains et qui augmente les inégalités notamment économique et sexuelle ainsi que l'individualisme et l'égoïsme. Ainsi, le travail d'Isabelle, rédactrice en chef d'un magazine féminin visant les adolescentes et les jeunes femmes jusqu'à 30 ans, lui empêche de lier tout lien social avec ses collègues de travail. En effet, il ne s'agit que de jeune femme qui sont toutes en concurrences les unes avec les autres et qui rêvent de prendre sa place : « Isabelle non plus n'avait pas d'amis, et n'avait été entourée, les dernières années surtout, que de gens qui rêvaient de prendre sa place. » Quant à Daniel, il n'a pas d'amis car il considère que ces derniers ne sont attirés que par son argent et son donc des hypocrites. Il vaut mieux être seul qu'en leur compagnie : « La seule chose qui puisse vous enlever vos dernières illusions sur l'humanité, c'est de gagner rapidement une somme d'argent importante ; alors on les voit arriver, les vautours hypocrites. »

L'amitié n'a plus sa place dans un tel libéralisme. Il n'y a plus de famille non plus, la nouvelle génération ne voulant pas s'encombrer d'enfants à s'occuper. Il n'y a plus de religion ; par exemple, en France, la religion catholique relique tandis que l'Islam gagne un peu de terrain. Mais les religions sont plutôt vouées à disparaître peu à peu de cette société déjà laïque.

Ce libéralisme supprime également peu à peu les libertés, puisque nous ne sommes plus libres de nous vêtir comme nous le voulons, de vieillir, de faire notre vie comme nous le souhaitons. Il faut suivre les modes, les schémas que la société et les médias nous imposent.

Tout cela crée forcément un malaise chez l'homme,

une dépression de l'humanité, une tristesse chronique des hommes. Ainsi, Daniel se retrouve seul avant même que l'ère des néo-humains ne commencent. Il est seul avec son chien Fox, comme Daniel25 des millénaires après lui.

Le thème de la sexualité est également évoqué tout au long du roman, comme à l'habitude de Michel Houellebecq dans ses romans. Il décrit de manière très imagés la sexualité d'abord « classique » qu'il y a entre Isabelle et Daniel, même si Isabelle n'aime pas la jouissance : « Il était cinq heures du matin et je venais de jouir en elle et ça allait, ça allait vraiment bien » ; « j'étais dans un tel état que ces seules paroles suffirent à me faire bander [...]. Elle prit sont temps, serrant mes couilles dans le creux de la paume, variant l'amplification et la vigueur des mouvement de ses doigts ». Puis, Houellebecq en vient à la description de la sexualité délurée et débridée d'Esther, dont l'amour est totalement exclue de ses relations avec les hommes : « Elle avait d'instinct les mimiques, les petits gestes (s'humecter les lèvres avec gourmandise, serrer ses seins entre les paumes pour vous les tendre) qui évoquent la fille un peu *salope*, et portent l'excitation de l'homme à son plus haut point » ; « ses doigts pressaient ma bite à travers le tissu mince, et souvent nous allions tout de suite baiser dans les toilettes – j'avais renoncé à porter des sous-vêtement, elle n'avait jamais de culotte » ; « je finis par la découvrir dans l'une des chambres du fond, allongée au milieu d'un groupe ; elle n'avait plus que sa minijupe dorée, retroussée jusqu'à la taille. Un garçon allongé derrière elle, [...] lui caressait les fesses et s'apprêtait à la pénétrer. Elle parlait à un autre garçon [...] ; en même temps elle jouait avec son sexe, le tapotait en souriant contre son nez, contre ses joues ».

Le thème de l'homme comparé à l'animal est également omniprésent tout au long du roman de Michel Houellebecq. Il met en parallèle l'homme et l'animal notamment du point de vue sexuel mais aussi du point de vue des bas instincts. L'homme n'est rien de plus qu'un animal et il est guidé par ses instincts. C'est pour cela que l'homme est revenu à l'état de sauvage, seulement guidé par la sauvagerie, la cruauté, la barbarie. Pour survivre, il n'y a que la loi du plus fort. Le faible meurt, est tué et se fait dévorer. C'est la domination de la sauvagerie et de la brutalité qui prime sur tout le reste. « Le bienfait de la compagnie d'un chien tient à ce qu'il est possible de le rendre heureux ; il demande des choses si simples, son ego est si limité. Il est possible qu'à une époque antérieure les femmes se soient trouvées dans une situation comparable – proche de celle de l'animal domestique. »

Enfin, le thème de la religion est central dans *La Possibilité d'une île*, car c'est en effet autour de la religion élohimiste que se créé la dystopie du clonage, des néo-humains et d'un monde sans humains. Houellebecq lui-même ne croit pas en Dieu, mais d'après lui, « aucune société ne peut survivre sans religion ». Si l'élohisme est rendu possible dans son roman, c'est à cause du libéralisme, du capitalisme et de la consommation de masse, qui pousse les hommes vers des plaisirs individuels et à ne plus s'encombrer de la procréation. Mais aussi, parce qu'à cause de ces plaisirs et de ce libéralisme, la jeunesse est devenue le maître mot de la société. Vieillir est une honte. Un corps vieux est une honte. C'est pour cela que la suicide est à ce point mis en valeur. Il vaut mieux mourir que de devenir vieux : « Il est vrai que les temps avaient changé, et que l'élohimisme marchait en quelque sorte à la suite du capitalisme de consommation – qui, faisant de la jeunesse la valeur suprêmement désirable, avait peu à peu détruit le respect de la tradition et le culte des ancêtres – dans la mesure où il promettait la conservation indéfinie de cette même jeunesse, et des plaisirs qui lui étaient associés. »

Le thème de la religion élohimiste rejoint alors le thème

de la jeunesse éternel et de la honte de la vieillesse. Houellebecq se base ici pour un fait qui s'est réellement produit, bien que différemment de ce qui est décrit ici : la mort de personnes âgées à cause de la canicule. Pour Houellebecq, ces morts qui au départ étaient un scandale, sont devenues peu à peu acceptables du fait de l'aide au dépeuplement des personnes âgées inutiles dans des pays qui en sont encombrées : « Ce fut sans doute la canicule de l'été 2003, particulièrement meurtrière en France, qui devait provoquer la première prise de conscience du phénomène » ; « plus de dix mille personnes, en l'espace de deux semaines, étaient mortes dans le pays ; les unes étaient mortes seules dans leur appartement, d'autres à l'hôpital ou en maison de retraite, mais toutes quoi qu'il en soit étaient mortes *faute de soins* » ; « "des scènes indignes d'un pays moderne", écrivait le journaliste sans se rendre compte qu'elles étaient la preuve, justement, que la France était en train de devenir un pays moderne, que seul un pays authentiquement moderne était capable de traiter les vieillards comme de purs déchets » ; « le développement de l'euthanasie provoquée […] devait au cours des décennies qui suivirent résoudre le problème ».

C'est ce refus de vieillir, ce refus de voir son corps jeune devenir décrépit et ne plus servir à rien qui pousse les hommes à partir en quête de l'immortalité et du clonage.

LE MOUVEMENT LITTÉRAIRE

Michel Houellebecq est un essayiste, anthropologue et
ciologue et il est souvent apparenté au roman réaliste fran-
s de la fin du XIXe siècle et au naturalisme, notamment de
la. Le réalisme est né du besoin de contrer le romantisme,
besoin de décrire le réel et de présenter les choses telles
'elles sont dans la réalité, avec véracité. C'est avec ce mou-
ment que les thèmes sociaux sont de plus en plus abordés,
ur décrire la véritable société moderne, avec ses luttes, ses
bats, ses inégalités.

Il est également rattaché aux auteurs du XXe siècle comme
line, pour son cynisme et son style et Camus. De plus, le
t qu'il s'attache à l'individualisme des hommes contempo-
ns le rapproche de l'américain Bret Easton Ellis, dont les
its ont également causé de nombreuses polémiques dans
médias.

Il revendique également l'influence de Balzac et de
orges Perec pour l'intertextualité de ses romans, ainsi que
Baudelaire pour sa poésie et de Lautréamont pour son côté
entifique. Enfin, il tire sa philosophie pessimiste et son
gout du monde de ses lectures de Schopenhauer. Comme
influences diverses et ses inspirations, dans ses romans il
lange ainsi plusieurs genres, tel le roman et la poésie dans
Possibilité d'une île. C'est par ces procédés que le style
Houellebecq relève souvent du roman existentialiste, du
uveau Roman, ou encore du structuralisme.

Cependant, malgré les nombreuses critiques, l'œuvre de
ichel Houellebecq a influencé plusieurs écrivains et artistes,
s que Pierre Merot qui met en scène Houellebecq dans son
nan *Arkansas* et Philippe Laffite, avec *Mille Amertumes*,
tre autres. Il est aussi moqué et parodié, mais ce qui ne lui
ut qu'encore plus de popularité.

DANS LA MÊME COLLECTION
(par ordre alphabétique)

- **Anonyme**, *La Farce de Maître Pathelin*
- **Anouilh**, *Antigone*
- **Aragon**, *Aurélien*
- **Aragon**, *Le Paysan de Paris*
- **Austen**, *Raison et Sentiments*
- **Balzac**, *Illusions perdues*
- **Balzac**, *La Femme de trente ans*
- **Balzac**, *Le Colonel Chabert*
- **Balzac**, *Le Lys dans la vallée*
- **Balzac**, *Le Père Goriot*
- **Barbey d'Aurevilly**, *L'Ensorcelée*
- **Barbey d'Aurevilly**, *Les Diaboliques*
- **Bataille**, *Ma mère*
- **Baudelaire**, *Les Fleurs du Mal*
- **Baudelaire**, *Petits poèmes en prose*
- **Beaumarchais**, *Le Barbier de Séville*
- **Beaumarchais**, *Le Mariage de Figaro*
- **Beauvoir**, *Mémoires d'une jeune fille rangée*
- **Beckett**, *Fin de partie*
- **Brecht**, *La Noce*
- **Brecht**, *La Résistible ascension d'Arturo Ui*
- **Brecht**, *Mère Courage et ses enfants*
- **Breton**, *Nadja*
- **Brontë**, *Jane Eyre*
- **Camus**, *L'Étranger*
- **Carroll**, *Alice au pays des merveilles*
- **Céline**, *Mort à crédit*
- **Céline**, *Voyage au bout de la nuit*

- **Chateaubriand**, *Atala*
- **Chateaubriand**, *René*
- **Chrétien de Troyes**, *Perceval*
- **Cocteau**, *Les Enfants terribles*
- **Colette**, *Le Blé en herbe*
- **Corneille**, *Le Cid*
- **Crébillon fils**, *Les Égarements du cœur et de l'esprit*
- **Defoe**, *Robinson Crusoé*
- **Dickens**, *Oliver Twist*
- **Du Bellay**, *Les Regrets*
- **Dumas**, *Henri III et sa cour*
- **Duras**, *L'Amant*
- **Duras**, *La Pluie d'été*
- **Duras**, *Un barrage contre le Pacifique*
- **Flaubert**, *Bouvard et Pécuchet*
- **Flaubert**, *L'Éducation sentimentale*
- **Flaubert**, *Madame Bovary*
- **Flaubert**, *Salammbô*
- **Gary**, *La Vie devant soi*
- **Giraudoux**, *Électre*
- **Giraudoux**, *La Guerre de Troie n'aura pas lieu*
- **Gogol**, *Le Mariage*
- **Homère**, *L'Odyssée*
- **Hugo**, *Hernani*
- **Hugo**, *Les Misérables*
- **Hugo**, *Notre-Dame de Paris*
- **Huxley**, *Le Meilleur des mondes*
- **Jaccottet**, *À la lumière d'hiver*
- **James**, *Une vie à Londres*
- **Jarry**, *Ubu roi*
- **Kafka**, *La Métamorphose*
- **Kerouac**, *Sur la route*
- **Kessel**, *Le Lion*

La Fayette, *La Princesse de Clèves*
Le Clézio, *Mondo et autres histoires*
Levi, *Si c'est un homme*
London, *Croc-Blanc*
London, *L'Appel de la forêt*
Maupassant, *Boule de suif*
Maupassant, *La Maison Tellier*
Maupassant, *Le Horla*
Maupassant, *Une vie*
Molière, *Amphitryon*
Molière, *Dom Juan*
Molière, *L'Avare*
Molière, *Le Malade imaginaire*
Molière, *Le Tartuffe*
Molière, *Les Fourberies de Scapin*
Musset, *Les Caprices de Marianne*
Musset, *Lorenzaccio*
Musset, *On ne badine pas avec l'amour*
Perec, *La Disparition*
Perec, *Les Choses*
Perrault, *Contes*
Prévert, *Paroles*
Prévost, *Manon Lescaut*
Proust, *À l'ombre des jeunes filles en fleurs*
Proust, *Albertine disparue*
Proust, *Du côté de chez Swann*
Proust, *Le Côté de Guermantes*
Proust, *Le Temps retrouvé*
Proust, *Sodome et Gomorrhe*
Proust, *Un amour de Swann*
Queneau, *Exercices de style*
Quignard, *Tous les matins du monde*
Rabelais, *Gargantua*

- **Rabelais**, *Pantagruel*
- **Racine**, *Andromaque*
- **Racine**, *Bérénice*
- **Racine**, *Britannicus*
- **Racine**, *Phèdre*
- **Renard**, *Poil de carotte*
- **Rimbaud**, *Une saison en enfer*
- **Sagan**, *Bonjour tristesse*
- **Saint-Exupéry**, *Le Petit Prince*
- **Sand**, *Indiana*
- **Sarraute**, *Enfance*
- **Sarraute**, *Tropismes*
- **Sartre**, *Huis clos*
- **Sartre**, *La Nausée*
- **Sartre**, *Les Mots*
- **Senghor**, *La Belle histoire de Leuk-le-lièvre*
- **Shakespeare**, *Roméo et Juliette*
- **Steinbeck**, *Les Raisins de la colère*
- **Stendhal**, *La Chartreuse de Parme*
- **Stendhal**, *Le Rouge et le Noir*
- **Verlaine**, *Romances sans paroles*
- **Verne**, *Une ville flottante*
- **Verne**, *Voyage au centre de la Terre*
- **Vian**, *J'irai cracher sur vos tombes*
- **Vian**, *L'Arrache-cœur*
- **Vian**, *L'Écume des jours*
- **Voltaire**, *Candide*
- **Voltaire**, *Micromégas*
- **Zola**, *Au Bonheur des Dames*
- **Zola**, *Germinal*
- **Zola**, *L'Argent*
- **Zola**, *L'Assommoir*
- **Zola**, *La Bête humaine*

Lightning Source UK Ltd.
Milton Keynes UK
UKHW010757200721
387465UK00003B/1012